Le vilain petit canard

UN CONTE D'ANDERSEN
RACONTÉ PAR FRANÇOIS GRAVEL
ET ILLUSTRÉ PAR STEVE BESHWATY

imagine

Dans la même collection :
LES TROIS PETITS COCHONS
illustré par Marie-Louise Gay
LES LUTINS ET LE CORDONNIER
raconté par Gilles Tibo et illustré par Fanny

À paraître :
BOUCLE D'OR ET LES TROIS OURS
raconté par Dominique Demers et illustré par Joanne Ouellet
JACQUES ET LE HARICOT MAGIQUE
raconté par Pierrette Dubé et illustré par Josée Masse

Catalogage avant publication de Bibliothèque et Archives Canada

Gravel, François

Le vilain petit canard : un conte

(Les contes classiques)
Pour enfants.

ISBN 2-89608-013-9

I. Beshwaty, Steve. II. Titre : III. Titre : Andersen, H. C. (Hans Christian), 1805-1875. Grimme aelling. Français. IV. Collection : Contes classiques (Éditions Imagine).

PS8563.R388V54 2005   jC843'.54   C2004-942076-3
PS9563.R388V54 2005

Direction artistique : Geneviève Côté
Conception graphique : Folio et Garetti

Dépôt légal : 2005
Bibliothèque nationale du Québec
Bibliothèque nationale du Canada

Les éditions Imagine
4446, boul. Saint-Laurent, 7e étage
Montréal (Québec) H2W 1Z5
Courriel : info-imagine@telefiction.com
Site Internet : www.editionsimagine.com

Imprimé au Québec
10 9 8 7 6 5 4 3 2 1

Gouvernement du Québec — Programme de crédit d'impôt
pour l'édition de livres — Gestion SODEC

Pour Leïla
François Gravel

Pour Isabelle
Steve Beshwaty

Une cane couvait ses œufs depuis le début de l'été
et elle commençait à en avoir assez. Les autres
canards préféraient nager, et personne ne venait
la voir pour bavarder.
« Mes bébés vont-ils bientôt se décider à sortir ? »
se demandait-elle, en soupirant.
Les œufs finirent par éclore !
— Comme ce monde est grand ! disaient les canetons
en se débarrassant de leur coquille. Et ils avaient raison :
un étang, ça paraît immense quand vous sortez d'un œuf !
« Ce sont les plus beaux canetons du monde ! »
se dit fièrement la maman.

Un seul œuf, plus gros que les autres, ne voulait pas
se briser, et la cane fut obligée de continuer à le couver.
— Oh là là ! C'est long ! se plaignait-elle.

Quelques jours plus tard, le dernier œuf éclata enfin.
Il en sortit un caneton bizarre, tout gris et pas très joli.
« Ce caneton est bien laid, mais tant pis, se dit la cane.
Je vais essayer de l'aimer quand même ! »

— Venez, dit la maman à ses enfants, je vais vous montrer tout
ce que vous avez besoin de savoir pour devenir de bons canards.
Pour commencer, un caneton bien élevé marche toujours en
écartant les pattes. Parfait ! Maintenant, répétez après moi :
coin coin ! Excellent ! Il ne vous reste plus qu'à apprendre
à nager. Allez, hop ! Tout le monde à l'eau !

Les canetons apprirent vite à nager, et le vilain canard gris
devint bientôt champion de natation. Plus sa mère l'observait,
plus elle trouvait qu'il n'était pas si laid, après tout.

« Je l'aime autant que les autres, se disait-elle.
Et peut-être même un peu plus. »

Ils déménagèrent bientôt dans un étang plus vaste.
Les canards qui vivaient là se mirent aussitôt à rire
du vilain petit canard.

— Regardez-le ! Il n'est pas comme nous !
— Ouache ! Il est bizarre !
— Va-t'en d'ici, vilain petit canard ! On ne veut pas de toi !
Même ses frères et ses sœurs se moquaient de lui.
— Laissez-le tranquille ! disait la mère. C'est vrai qu'il n'est
pas beau, mais il est très gentil, et il nage très bien !
Toutefois, personne n'écoutait la mère, et tout le monde
s'acharnait sur le pauvre petit canard.
Les plus petits lui donnaient des coups de bec, et les plus
grands le pourchassaient pour le bousculer et le mordre.

« Je ne serai jamais chez moi, ici ! » se dit le petit canard.
Il décida alors de s'enfuir. Il s'envola par-dessus la haie
et quitta cet étang pour toujours.

Le vilain petit canard vola jusqu'à un grand marais habité
par des canards sauvages. Il voulut se joindre à eux,
mais il découvrit bientôt que les canards sauvages étaient
encore plus méchants que les autres.

— On ne veut pas de toi, tu es trop laid !

— Pas de canards gris par ici !

— Allez, ouste ! File !

Les canards sauvages firent tant de bruit en repoussant le petit
canard qu'ils attirèrent des chasseurs. Paf ! Paf ! Les balles se
mirent à siffler. Les canards durent nager très vite pour les éviter.

— Sauvons-nous vite ! dit le chef des canards sauvages.

Puis, il se tourna vers le pauvre canard gris :

— Tout ça, c'est ta faute ! C'est toi qui as attiré les chasseurs !

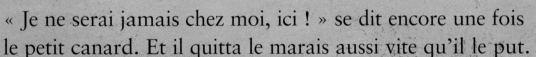

« Je ne serai jamais chez moi, ici ! » se dit encore une fois
le petit canard. Et il quitta le marais aussi vite qu'il le put.

Le pauvre petit canard vola très longtemps
dans le ciel, jusqu'à ce qu'une tempête le force
à se poser sur un lac. Au matin, il fut témoin
d'un spectacle extraordinaire : de grands cygnes
volaient ensemble vers le Sud.
Le vilain petit canard n'avait jamais vu
d'oiseaux aussi grands et aussi majestueux.
« Ah, les chanceux ! Ils vont passer l'hiver
dans les pays chauds ! se dit le petit canard.
J'aimerais bien y aller moi aussi, mais je suis
beaucoup trop petit ! En attendant,
il faut vite que je trouve un abri pour l'hiver,
sinon je vais mourir de froid ! »

Il vola jusqu'à une cabane. Comme la porte était
ouverte, il décida d'entrer pour se réchauffer un peu.
Cette cabane était la demeure d'une vieille femme
qui vivait avec son chat et sa poule.
— Sois le bienvenu chez moi ! dit la vieille dame.
« Qu'elle est gentille ! » songea le vilain petit canard.
Il aurait peut-être changé d'avis s'il avait su ce qu'elle
pensait vraiment.
« Ce caneton est bien laid, se disait en effet la vieille dame,
mais je vais le garder quand même. Si c'est une cane,
elle me donnera des œufs. Et si c'est un canard,
je le mangerai au printemps ! »

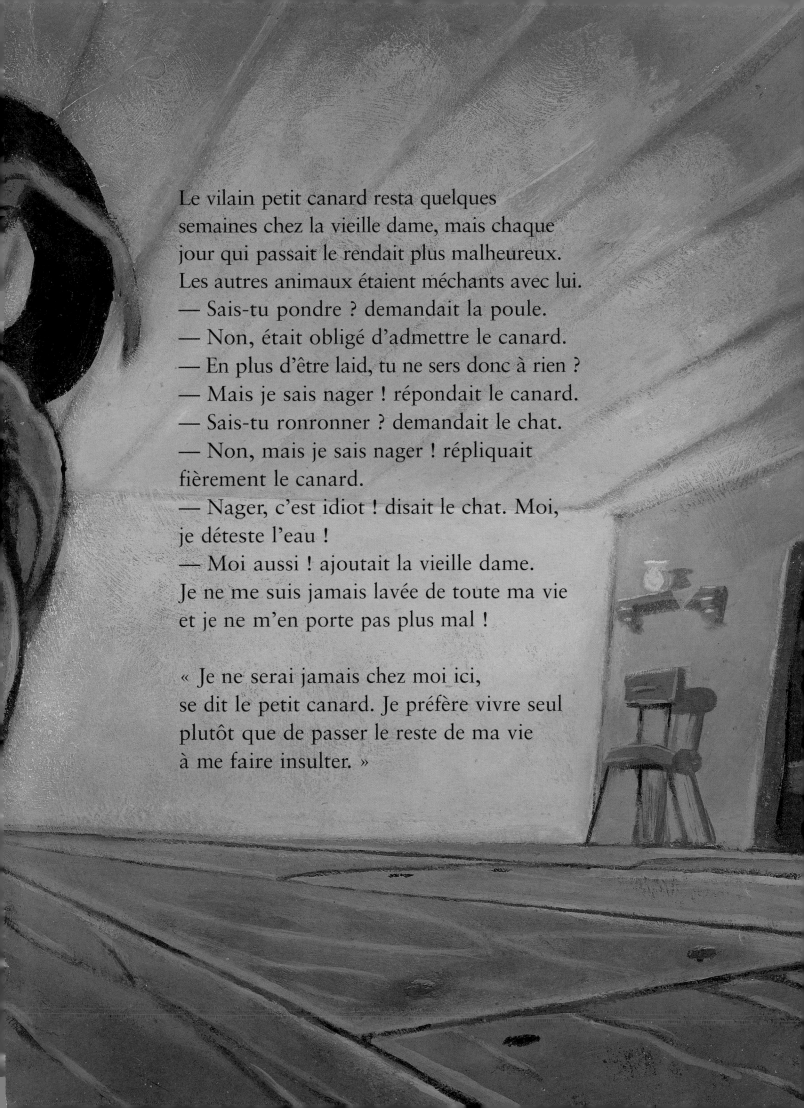

Le vilain petit canard resta quelques
semaines chez la vieille dame, mais chaque
jour qui passait le rendait plus malheureux.
Les autres animaux étaient méchants avec lui.
— Sais-tu pondre ? demandait la poule.
— Non, était obligé d'admettre le canard.
— En plus d'être laid, tu ne sers donc à rien ?
— Mais je sais nager ! répondait le canard.
— Sais-tu ronronner ? demandait le chat.
— Non, mais je sais nager ! répliquait
fièrement le canard.
— Nager, c'est idiot ! disait le chat. Moi,
je déteste l'eau !
— Moi aussi ! ajoutait la vieille dame.
Je ne me suis jamais lavée de toute ma vie
et je ne m'en porte pas plus mal !

« Je ne serai jamais chez moi ici,
se dit le petit canard. Je préfère vivre seul
plutôt que de passer le reste de ma vie
à me faire insulter. »

Le vilain petit canard profita de la nuit pour s'enfuir.
Il vola le plus loin possible de cette cabane.
C'était un hiver glacial. Il fut obligé de voler toute la journée
et de nager toute la nuit pour éviter de mourir de froid.
Épuisé, il finit par s'endormir sur un lac.
Le lac gela pendant la nuit.
Au matin, le petit canard se retrouva prisonnier de la glace :
impossible de s'envoler !
Un paysan qui passait par là le libéra en brisant la glace
à coups de hache et le transporta jusque chez lui.

La femme du paysan ranima le petit canard,
qui reprit rapidement des forces. Mais aussitôt
qu'il fut rétabli, les enfants se mirent à lui lancer
des cailloux et à lui donner des coups de bâton !

« Je ne serai jamais chez moi, ici ! » se dit-il
encore une fois. Et il s'enfuit de nouveau.

Le canard subit encore d'autres mésaventures
au cours de cet hiver-là, mais ce serait vraiment
trop triste de les raconter toutes.

Le printemps arriva enfin, et c'était un printemps délicieux.
Le soleil était chaud et ses rayons venaient caresser
les ailes du canard.
Il avait subi tellement d'épreuves au cours de l'hiver
qu'il était devenu grand et fort.
Il pouvait maintenant voler très longtemps et très haut dans
le ciel. Il aperçut un jour un bel étang entouré de pommiers
et de lilas en fleurs. Notre ami aurait bien voulu s'y arrêter,
mais de grands cygnes majestueux y nageaient paisiblement.

« Les cygnes vont sûrement me chasser, se dit le vilain
petit canard, mais tant pis. Il faut que je m'arrête un peu
pour me reposer. Je resterai le plus loin possible d'eux
pour ne pas les déranger. »

En se posant sur l'étang, il aperçut son reflet dans l'eau.
« Mais… Mais qu'est-ce qui m'arrive ? se demanda-t-il.
Je ne suis plus un vilain petit canard ! Je… je suis un cygne !
Comment est-ce possible ? »

Il n'eut pas le temps de se poser davantage de questions :
les autres cygnes étaient venus le rejoindre et ils nageaient
autour de lui. Certains le caressaient même avec leur bec,
comme pour lui souhaiter la bienvenue.

Des enfants qui passaient par là s'arrêtèrent pour regarder
les cygnes. Et plutôt que de leur lancer des cailloux,
ils leur donnèrent du pain !

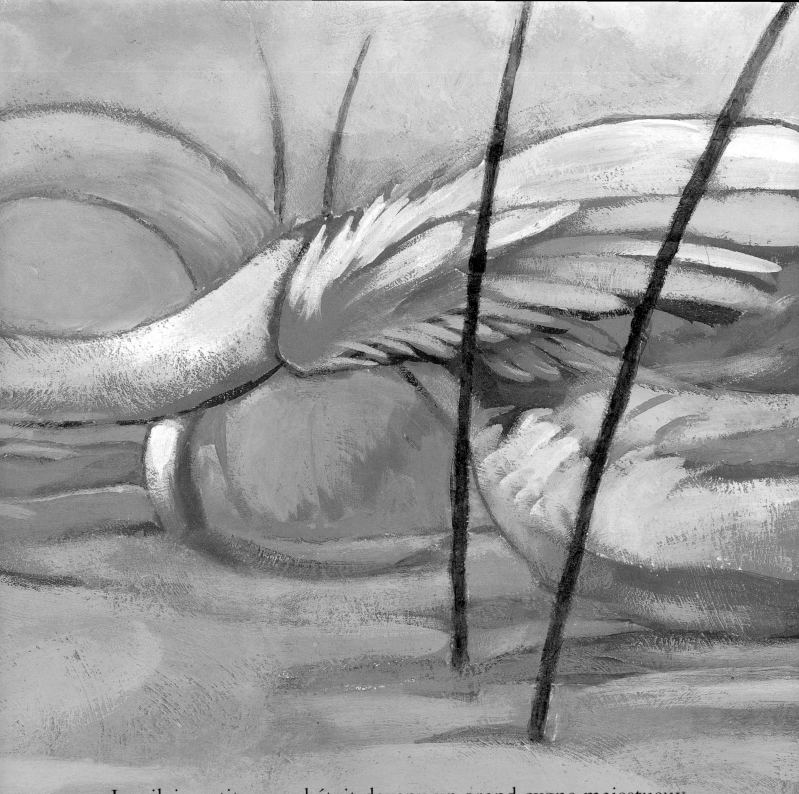

Le vilain petit canard était devenu un grand cygne majestueux.

« Enfin, je me sens chez moi ! Jamais je n'aurais rêvé
d'un si grand bonheur quand j'étais le vilain petit canard. »

Les cygnes passèrent tout l'été sur cet étang,
et ce fut un été magnifique. Quand l'automne arriva,
ils s'envolèrent vers le Sud. Le hasard voulut qu'ils passent
au-dessus de l'étang où le vilain petit canard était né.

— Quels beaux cygnes ! s'exclamèrent ses frères et ses sœurs.
Comme ils sont forts ! Et comme ils volent haut !
— Et regardez-moi celui-là ! dit la maman.
C'est le plus beau cygne que j'aie vu de toute ma vie !